J'ose

Éditions J'ai Lu

POURQUOI J'OSE...

... Parce qu'il m'a paru indispensable de faire une pause dans ma vie de romancier. J'en ai déjà fait une, il y a une dizaine d'années, en écrivant : *De cape et de plume*. C'était le premier entracte et le roman de mes romans. Voici le second qui est le roman du romancier ou, si l'on préfère, mon propre roman.

La grande différence entre ces deux ouvrages vient de ce que le premier a été écrit par moi, alors que celui-ci est, pour la première fois dans ma carrière, écrit avec le concours d'un autre. Un autre qui m'a posé mille et une questions auxquelles je n'ai fait que répondre. Des questions sur moi, sur mes proches, sur mon passé, sur mon travail, sur ma vie quotidienne. S'il a pris l'entière responsabilité de ses questions, je n'ai pas craint d'assumer celle de mes réponses.

Depuis quelques années déjà, divers éditeurs me demandaient de travailler, ne serait-ce qu'une fois dans mon existence, de cette façon pour que l'on pût me connaître tel que j'étais et pas seulement en romancier qui s'était toujours abrité et caché derrière l'affabulation du romanesque. J'avais toujours refusé sous prétexte que je ne voyais pas très bien, avec mon mauvais caractère qui n'a jamais pu supporter d'avoir le moindre collaborateur dans mes travaux d'écriture, à qui je pourrais me confier entièrement, sans retenue, sans réticence, sans gêne. C'est tellement délicat de livrer aux autres sa propre vérité...

Et un jour, on m'a dit :

« Nous pensons avoir enfin trouvé le journaliste auquel vous pourriez tout raconter et avec qui vous devriez pouvoir vous entendre. C'est votre meilleur ami depuis trente années...

— Qui est-ce ?

— Votre fils Jean qui travaille dans l'équipe le *Paris-Match*. »

C'était évidemment une idée qui pouvait me séduire. Il était certain que mon fils me connaissait mieux que personne, que nous ne nous étions jamais quittés et qu'il me serait très difficile de lui cacher quelque chose. Quand on chérit son fils et qu'on sait qu'il vous rend cet amour, on lui dit tout... Face à un autre, même s'il est le meilleur journaliste du monde, on devient prudent, on se méfie... A partir du moment où j'ai réalisé que cette méfiance ne pourrait pas exister dans nos dialogues à l'emporte-pièce, je me suis senti prêt à répondre à toutes les questions, même aux plus indiscrètes.

Car je ne me suis pas fait d'illusions. Connaissant bien Jean, je savais qu'il n'irait pas par quatre chemins pour m'interroger et qu'il ne serait satisfait que lorsqu'il m'aurait arraché des aveux complets. Lui et moi nous n'avons eu aucun mal pour rester honnête l'un vis-à-vis de l'autre pendant nos entretiens.

Il était venu me trouver comme tout fils qui a confiance en son père et qui vient lui demander quelque chose.

« Ne t'inquiète pas, m'a-t-il dit. Je sais bien que tu prépares un nouveau roman. Je ne te gênerai pas. Mes questions, que je grille de te poser depuis quelques années, sont toutes prêtes : tu n'auras qu'à y répondre. Et ce sera même pour toi une sorte de récréation qui t'arrachera à tes héros de fiction.

Nous parlerons beaucoup d'un personnage vrai que tu connais mieux que personne : toi-même !

— Mais toi, mon fils, comment le vois-tu, ce bonhomme ?

— Tel qu'il est, avec ses défauts et ses qualités, comme lui-même n'a jamais pris la peine, ou le temps, de se regarder. Veux-tu que nous fassions tout de suite un premier essai ? Tu as bien une heure à me consacrer ? Si ça ne donne rien, nous ne poursuivrons pas l'expérience : tu retourneras à tes romans et moi à mon journalisme. »

Il y eut cette première heure, suivie de beaucoup d'autres. Et ce fut bien une récréation. J'espère qu'il en sera de même pour le lecteur. Je le souhaite de tout mon cœur de père pour celui qui l'a écrit. Mais ce livre aura eu au moins un avantage pour mon fils et moi : resserrer encore, si c'est possible, notre amitié.

Guy des CARS.
7 Avril 1974.

1

MA VIE ? UN ROMAN

— Tu vas tout dire ?

— Sûrement ! A qui dirai-je tout si ce n'est à toi mon fils ? D'ailleurs, tu le sais, je dis toujours tout ce que j'ai à dire.

— Parole de père ?

— Parole d'homme.

Nous avons toujours été du même côté. Et aujourd'hui, pour la première fois, nous voilà face à face. Et comme toujours, quand je suis devant mon père, je suis fasciné. Je devrais être blindé, blasé. Je devrais peut-être me méfier. Il m'attend sûrement au tournant d'une question, au verso d'une page de ce livre. Pendant des heures, il va parler. Va-t-il me raconter la vérité vraie ou la vérité romanesque ? Il est capable de démonter une anecdote pour en faire quatre cents pages. Il aime dynamiter ses personnages, les bousculer selon son plan connu de lui seul, placer des rebondissements à la page 33, 117 et 293, exactement à l'endroit où il l'a prévu. De toute façon, même ses lecteurs les plus fidèles sont emportés par le maelström de son imagination. Et cela depuis plus de trente ans. Il n'y a d'ailleurs aucune raison pour que se tarisse ce Niagara de mots, d'histoires et de livres. La source est, je le crois, prometteuse : débit abondant, riche en illusions et évasions diverses, recommandée aux lectrices et lecteurs peu friands de politique, de psychanalyse et de problèmes métaphysiques, mais avides de phrases simples, d'évasion, d'histoires extraordinaires qui sont construites comme une mécanique d'horlogerie, même si c'est, d'après certains, « à coups de poncifs et de clichés ». A déconseiller aux critiques acides et aux confrères jaloux. Mon père a le choix des armes (le roman) et du terrain (le public). Il sait se défendre tout seul. Et je crois le duel égal. Avec un léger avantage pour le lecteur : c'est lui qui, finalement, se décide, à chaque fois, à entrer dans le jeu.

Donc, je suis sur mes gardes et j'attaque.

— Quel est ton souvenir d'enfance le plus lointain ?

— C'est un souvenir de guerre. En 1916, j'avais cinq ans. Et devant l'offensive allemande, ma mère avait décidé de nous emmener loin de Paris ma sœur, mon frère et moi, dans la Sarthe, à Sourches, le château de la famille.

C'était un matin d'hiver, très tôt. Nous avons quitté à pied le 20 rue Greuze où nous habitions et je devais pleurer à chaudes larmes, porté par la nurse qui traînait mon frère Louis. Ma sœur Marguerite, qui avait sept ans, guettait avec maman une hypothétique voiture. Peine perdue. Les véhicules étaient rares. On avait l'impression que, comme il l'avait fait pour les fameux taxis de la Marne deux ans plus tôt, Gallieni avait réquisitionné toutes les automobiles.

Il nous fallait pourtant gagner la gare Montparnasse pour prendre l'un des rares trains. Les soldats allaient vers l'est, nous, nous allions vers l'ouest. Epuisée par une nuit à faire des paquets aussi compacts que possible, la nurse anglaise se laissa tomber sur sa valise en retenant mal ses larmes et annonça :

« Madame ! C'est impossible ! Nous n'y arriverons pas !... »

Maman, avec le courage obstiné qu'ont les mères lorsqu'elles veulent sauver leurs enfants d'une catastrophe, lui répliqua :

« Nous y parviendrons, ma fille ! Ce qu'il nous faut, c'est une voiture. Aidez-moi plutôt au lieu de geindre ! »

Et c'est là que se situe mon premier souvenir.

En plein milieu ou presque de la place d'Iéna, ma mère se planta les bras en croix, agitant comme une masse d'arme son manchon et le sac de la nurse.

Quelques voitures bondées, quelques fiacres surchargés étaient passés au large. Apparemment, leurs conducteurs ne pouvaient rien faire pour ces deux femmes entourées de trois enfants, tableau pathétique comme celui de toutes les familles démantelées par le départ des maris, des fils et de tous les hommes valides au front.

Soudain, descendant du Trocadéro à toute allure — c'est-à-dire à environ cinquante kilomètres à l'heure — une ambulance fonça vers ma mère.

Je me souviens d'un cri. Le cri que nous poussâmes tous les trois, un cri qui résonna sur la place vide :

— Maman !

La nurse, paralysée de peur, n'avait même pas eu un geste pour prévenir ma mère ou tenter de la retenir.

Dans un horrible grincement de freins, l'ambulance tangua et s'immobilisa à deux mètres de ma mère. Ses vêtements sombres se mariaient tragiquement avec la croix rouge peinte sur les flancs de la voiture.

Une tête pâle et moustachue hurla par la fenêtre : C'était le chauffeur :

« Madame ! Vous êtes folle ! J'ai failli vous écraser !

— Je ne suis pas folle, monsieur. Je vous ai forcé à vous arrêter. Il faut absolument que vous nous conduisiez à la gare Montparnasse. Avez-vous de la place ? Je vous en prie...

— Madame, c'est hors de question. Cette ambulance est vide mais je suis en service commandé. Je vais à la gare de l'Est chercher des blessés qui doivent être conduits au Val-de-Grâce. Je suis désolé.

— Avez-vous une femme et des enfants ?

— Oui... Mais pourquoi cette question ?

— Parce que mon mari est officier au front. S'il lui était arrivé de rencontrer les vôtres dans une situation semblable, il n'aurait pas hésité une seconde. Il se serait arrangé pour concilier son ordre de mission et le devoir de venir en aide à une mère désemparée.

— Montez, madame... »

Ce fut la seule réponse du conducteur, impressionné surtout par le calme avec lequel ma mère lui avait parlé.

Ce voyage imprévu au milieu de civières vides fut suivi d'un autre en chemin de fer. Comme j'étais le plus petit, on m'avait installé dans le filet à bagages. Ce fut d'abord très amusant parce que je dominais tout le monde mais j'eus rapidement l'impression d'être prisonnier de ces mailles brunes. Je ne pus me dégourdir les jambes qu'à Chartres pendant un interminable arrêt.

Et c'est là sur le quai que j'eus ma première vision des horreurs de la guerre. Je voyais des gens souffrir mais, évidemment, j'étais trop jeune pour comprendre. Des blessés, allongés sur les quais, qu'ils recouvraient de leurs pauvres corps ensanglantés, nous regardaient avec des yeux d'agonisants. Certains s'étaient traînés jusqu'aux toilettes et y rendaient le dernier soupir dans d'effroyables odeurs d'homme. Je serrai très fort la main de maman quand l'un de ces malheureux s'agrippa à son manteau et lui dit cette phrase que j'entendrai toute ma vie résonner à mes oreilles, bien que la voix ne fût plus qu'un râle :

12

« Madame ! Achevez-moi ! Tuez-moi ! Je souffre trop !... »

Et plus tard, quand j'entendis des anciens combattants raconter « leur guerre », ils disaient tous que si le ravitaillement avait toujours à peu près bien fonctionné, le service de santé avait, en revanche, été très vite démuni. « A part la teinture d'iode, remarquait un de mes oncles, nous n'avions aucun médicament. »

Pour aller du Mans à Sourches, soit vingt-sept kilomètres, nous fûmes installés dans un char à bœufs. Il paraît que j'étais ravi de ce voyage accompli à un rythme d'autrefois.

Ensuite, c'est le brouillard, ou plus exactement une existence sans histoire pour nous tous, les jeunes cousins réunis par la force des événements, surveillés par la nurse qui ne quittait jamais un petit paquet de lettres : celles que son fiancé avait réussi à lui envoyer. Ce fiancé que nous ne connaissions pas nous plaisait parce qu'il était anglais et maman nous avait expliqué qu'on disait un « tommie ». « Tommie », pour les gosses, c'était facile à prononcer. Mais quand il fut tué sur le front de la Somme, la gouvernante devint, paraît-il, folle. Elle fut rapatriée, je ne sais comment. Nous eûmes une autre nurse mais elle n'avait pas de « tommie »...

Il y avait une chose qui nous excitait beaucoup, nous les enfants. Cela nous excitait parce que toute les femmes et les vieux domestiques attendaient et redoutaient ce moment : c'était le fameux « communiqué de trois heures ».

Et quand par l'Etat-Major, on apprenait qu'un oncle ou un grand-cousin était mort, ma mère disait « Un héros de plus. Combien en faudra-t-il ? ». Cette phrase m'impressionnait beaucoup. Un héros, cela me semblait très important, formidable. Et c'est sans doute la raison pour laquelle matin et soir, je posais à ma mère cette affreuse question :

« Maman, quand papa sera-t-il tué ? »

Age sans pitié... Un héros, selon moi, devait mourir à la guerre. Mon papa était forcément un héros. Le plus grand des héros. Le plus grand des papas.

Et j'ai connu l'un de ces héros de la Grande Guerre. L'un des plus authentiques et des plus fameux, presque un dieu : Guynemer.

Il était notre voisin rue Greuze. Avec sa mère, il partageait le rez-de-chaussée de l'immeuble où nous résidions. Et pendant quelques mois — j'avais un peu plus de six ans — je l'ai vu régulièrement. Pas en avion, pas en « as des as » virtuose du duel aérien, non. Il était, en quelque sorte, un compagnon de jeux. Tous les samedis, il arrivait en permission dans une torpédo blanche. Il apparaissait vers quinze heures mais une bonne heure avant, mon frère et moi, nous étions intenables, guettant à la fenêtre du concierge le tournant de la rue d'où il allait jaillir. Toute la semaine, nous avions entendu parler de lui, de ses prouesses, de ses combats, de ses victoires, mais aussi de son courage et de sa grande allure.

Le samedi était donc un grand jour. Car l'une des premières choses qu'il faisait en arrivant était de nous enlever pour un petit tour, toujours le même, dans son bolide : rue Greuze, rond-point de Longchamp, avenue d'Eylau, place du Trocadéro, rue Greuze... C'était la joie. Peut-être croyions-nous qu'il allait faire décoller sa voiture ? Il repartait le dimanche après-midi et pour les enfants du concierge, comme pour nous, la semaine était longue jusqu'à samedi, le jour où notre « copain » Guynemer nous prendrait dans ses bras. Il nous rassurait. En abattant les appareils allemands il « rassurait » d'ailleurs tous les Français... Un soir d'alerte sur Paris, notre gouvernante voulut nous raconter une histoire pour nous endormir. Mais nous étions réveillés comme des souris et de grandes lumières se croisaient dans le ciel : les projecteurs avaient démasqué un dirigeable, un Zeppelin. Nous avions peur de ce monstre volant.

Alors, la nurse nous répétait : « Dormez. Votre ami Guynemer n'est pas loin. »

Hélas, il était très loin... Le samedi suivant, nous voulions l'attendre comme d'habitude en guettant la pétarade de sa voiture. Mais ma mère nous empêcha de descendre chez le gardien. Elle nous dit : « Mes enfants, faites une petite prière pour votre ami Guynemer. Il ne reviendra plus... »

Ce fut le désespoir, le premier chagrin dont je me souvienne. Nous comprenions mal pourquoi nous ne reverrions pas notre héros, mais nous ne voulions pas croire ce qu'avait dit notre mère. La France entière ne voulait pas croire cette nouvelle : « Guynemer porté disparu ! » Nous l'avons quand même attendu ce samedi-là, dans notre salle de jeux. La France entière l'attendait.

Au fur et à mesure que j'ai grandi, l'image de Guynemer s'est précisée. Si l'on y repense, je crois que sa carrière a été et restera exemplaire. Une santé fragile l'avait fait surnommer « fil de fer » par ses hommes de la fameuse escadrille des *Cigognes*. Officier de la Légion d'honneur (à l'époque cela avait une autre valeur qu'aujourd'hui...) et capitaine à vingt-deux ans, il est mort à vingt-trois ans, aux commandes de son avion « Le Vieux Charles » abattu sans doute dans le ciel de Poelkapelle, près d'Ypres, en Belgique. Je dis « sans doute » parce que sa mort demeure un peu mystérieuse. Et c'est tant mieux : les héros doivent rester une énigme pour la postérité. Ce qui est sûr, c'est le nombre de ses victoires dans les airs (cinquante-quatre officielles, quatre-vingts non homologuées parce que derrière les lignes allemandes et un total, en vingt-cinq mois, de près de six cents combats).

Ce qui est encore plus sûr, c'est qu'il était un moderne chevalier, le premier chevalier du ciel. L'as allemand Ernst Udet, qui affronta Guynemer et fut général de la Luftwaffe, a raconté qu'un jour au-dessus des Ardennes, sa mitrailleuse s'était enrayée. Il ne pouvait absolument pas se défendre et Guynemer pouvait l'abattre sans le moindre risque. Alors, comme il avait l'habitude de le faire, Guynemer s'approcha très près du *Fokker* de l'Allemand, à environ dix mètres, lui fit un signe de la main et disparut dans le ciel. C'est peut-être l'une des raisons qui ont poussé les autorités allemandes à l'inhumer avec les honneurs militaires... Il disait : « On n'a rien donné lorsqu'on n'a pas tout donné. » et sa devise « faire face » lui allait très bien. D'après les enquêtes, il est mort d'une balle en plein front. Ce jour-là, 11 septembre 1917, « il est parti se ranger en silence à côté des siens ». C'est une phrase de Mermoz.

Les années ont passé. Et un jour, visitant le musée de l'Automobile de Compiègne, alors que je ne m'y attendais pas, j'ai vu, j'ai retrouvé exposée, la voiture de Guynemer, cette *Sigma* 4 cylindres dont la peinture blanche s'est jaunie avec le temps. J'ai voulu m'y asseoir un instant. Mais un vague sentiment de profanation et peut-être aussi la présence du gardien m'en ont dissuadé. Je n'ai pas insisté. Je me demande si je n'ai pas eu tort. De temps en temps, cela fait du bien de retomber en enfance...

— Parlons un peu \ famille. Je ne veux pas dire « vieux papiers », mais plutôt de quelques silhouettes. Y en a-t-il une qui t'attire plus que les autres ?

— Ah ! oui... Parmi ceux que j'ai connus, en dehors de mon père et de ma mère, il y en a un à qui je dois mes meilleurs souvenirs d'enfance et de jeunesse, car il était étonnant. C'est mon grand-père paternel, le duc des Cars. A l'époque, les années 1920-1925, les grandes vacances nous conduisaient à La Baule dont la vogue grandissait. Nous y habitions, avec ma mère, ma sœur et mon frère, dans l'une de ces gigantesques casernes surnommées « palaces », tenant plus du cara-

16

vansérail mondain que d'un hôtel de villégiature. Mon grand-père décida à l'improviste de venir nous y embrasser. Petit déplacement pour ce grand voyageur spécialement amoureux des voyages en chemin de fer. Il ne pouvait pas voir un train partir sans sauter dedans, discuter des horaires et des correspondances avec le contrôleur, flatter les performances de la machine, jalouser le conducteur pour sa place de maître à bord, mais n'oubliant pas, bien avant Edouard Herriot, de lui serrer la main, lier conversation avec les voyageurs en leur vantant le plaisir de regarder passer les vaches. Il affirmait : « Je ne dors bien que dans le train », et, par humilité, ne fréquentait que les troisième classe. Par humilité et stratégie, car après avoir récité l'*Indicateur Chaix* — ou l'équivalent de l'époque — à ses voisins, il se livrait à de l'apostolat pratique et sortait des basques de son vêtement une incroyable collection de journaux bien pensants, de chapelets bénits et d'images pieuses. Il en inondait le compartiment en recommandant aux voyageurs d'aller à Lourdes. Je crois bien qu'il a conjugué sa passion et ses convictions en inventant le train de pèlerinage. Puis, si le train s'arrêtait, il disparaissait pour aller saluer le chef de gare d'un affectueux « Bonjour, vieil ami ! ». S'il ne le connaissait pas, ce dernier n'avait, de toute façon, aucune chance de l'oublier et de ne pas le remarquer. Ce vieux gentilhomme avait une barbe fleurie lui donnant un faux air du père Hugo. Mais surtout — et c'était d'abord cela qui nous fascinait, nous, ses petits-enfants — il s'habillait d'une façon étrange, mais qui, en réalité, lui permettait d'être toujours prêt à partir : redingote noire un peu verdie, chapeau melon, parapluie, imperméable, très long avec capuchon (on disait alors « caoutchouc ») et qui lui tenait lieu de manteau tous temps, toutes latitudes, et des bottines à élastiques. Il avait résolu le problème des bagages en n'en emportant aucun. En cours de route, il achetait le minimum indispensable, puis s'en débarrassait. Il faisait toutefois exception pour un col de celluloïd qu'il laissait mariner la nuit dans un pot à eau et sa brosse à dents dépassant perpétuellement de la poche gauche de son gilet ; j'allais oublier presque l'essentiel. A la manière des médecins militaires qui décident qu'on est en hiver ou en été et que l'uniforme sera aménagé en conséquence, il apportait un changement considérable à son vêtement permanent au retour des saisons : chaussettes noires l'hiver, chaussettes blanches l'été.

C'est donc avec ses chaussettes blanches qu'il débarque au petit matin d'une journée d'août à la gare de La Baule. Il laisse les clients de l'hôtel s'entasser dans l'omnibus à cheval et grimpe sur le siège à côté du cocher. Pour savourer la douceur de l'été ? Non, bien sûr. Pour discuter avec le cocher, et, disait-il, « écouter la philosophie de la voix publique ». A la réception, il se fait annoncer :

« Bonjour, mon ami. Je suis le duc des Cars. Voulez-vous prévenir ma belle-fille que je suis arrivé par l'express de nuit... »

Le concierge lui jette un regard olympien de mépris.

Il est vrai que mon grand-père avait encore amélioré son allure. Ayant un jour déclaré que « les pieds gonflent en voyage, spécialement en train », il avait retiré ses bottines et enfilé une vieille paire de pantoufles qui, elle aussi, ne le quittait jamais. Mais pour être sûr de ne pas oublier ses bottines, il n'avait pas craint de les relier au moyen d'une ficelle — c'étaient des bottines « à pattes » — et de suspendre le tout autour de son cou ! A huit heures du matin, dans le hall de cet hôtel élégant, le concierge fut persuadé qu'il avait affaire à un imposteur :

« Vous raconterez cette histoire à d'autres !

— Je vous répète que je veux voir ma belle-fille sur-le-champ ! Appelez-moi votre directeur ! »

Devant son insistance et sa colère, le concierge fait appeler le directeur qui dormait encore. Une demi-heure plus tard, ce dernier frappe timidement à la porte de la chambre de ma mère. En jaquette bordée et en pantalon rayé, véritable chef de rayon de grand magasin, tournant ses mains l'une dans l'autre et sa langue dans sa bouche, il bredouille sa confusion...

« Madame, je suis navré d'avoir à vous importuner à cette heure matinale. Mais il y a à la réception un individu qui se prétend votre beau-père. Or, tout me porte à croire qu'il s'agit d'un mauvais plaisant !

— Vraiment, monsieur ? Et pourquoi donc ? demande ma mère.

— Madame, cet homme a l'allure d'un vagabond. Il porte même une paire de bottines suspendues par une ficelle autour de son cou...

— Des bottines autour du cou ? Mais c'est le duc des Cars ! C'est bien mon beau-père ! Priez-le de monter ! »

Tu imagines l'embarras de ce pauvre directeur ! Il crut trouver la paix en faisant porter des fleurs à ma mère. Pourtant il n'était pas au bout de ses surprises avec ce duc déguisé en vagabond. Après une matinée où nous, les enfants, étions les plus heureux de la plage avec ce grand-père si peu conventionnel et tellement affectueux, nous nous retrouvons à midi dans l'immense salle à manger. Notre gouvernante — anglaise, bien entendu — n'a pas de peine à nous faire tenir tranquilles, car nous sommes fascinés par ce bon papa un peu loufoque.

Il se penche vers maman et lui dit :

« J'ai remarqué que cet établissement est rempli d'Israélites... Nous, catholiques, devons avoir le courage de nos convictions. » Et il se lève. Et il frappe un verre avec une cuiller. La cloche improvisée répand sa sonorité un peu sèche dans toute la salle. Les voix s'arrêtent. Tous les regards sont sur notre table, le personnel s'interroge : serait-ce un banquet improvisé ? Quand les bruits de vaisselle ont cessé, l'orateur dit simplement ces mots surprenants :

« Lecture du saint Evangile du jour... " En ce temps-là... " »

J'étais médusé, nous l'étions tous, clients et maître d'hôtel. Et personne ne proteste. La lecture terminée, aucun commentaire ne nous parvient des tables voisines. Mon grand-père ramasse d'une main son missel qui regagne la poche gauche de sa redingote et de l'autre fait disparaître quelques croûtons des petits pains que nous avions commencé à grignoter dans l'attente trop longue des hors-d'œuvre.

« Mon déjeuner ! dit-il avec malice.

— Mais où allez-vous ? lui demande ma mère, inquiète.

— A Jérusalem ! En passant par Bruxelles... Ma chère belle-fille, et vous mes enfants, vous m'avez fait une grande joie... »

Il se relève et n'oublie pas de nous bénir. Ses yeux très bons cachent mal une tristesse réelle. Mais il nous quitte sur une pirouette :

« J'ai juste le temps d'attraper le rapide de Paris ! »

Il disparaît comme un météore, nous laissant pleins de sourires mais le cœur gros.

En sortant de la salle à manger, il croise le directeur qu'on venait d'informer de la lecture de l'Evangile et qui s'était bien gardé d'oser l'interrompre.

« Ah ! vous voilà, mon ami ! lui lance mon grand-père. Décidément, vous vous faites attendre... Retenez bien ceci : je n'ai d'estime que pour les gens courageux... »

Et dans un tourbillon — celui de la porte-tambour —, « bon papa » disparaît.

Ce ne fut qu'à ce moment que les quelque deux cents personnes de la salle à manger se risquèrent à des commentaires sur son « incroyable toupet ». Vagabond chaleureux, il était déjà loin, hors de portée des sarcasmes. Je crois bien que tous, petits et grands, nous avions reçu une leçon de courage.

— C'était un personnage. Est-ce que d'après toi on trouve encore aujourd'hui, dans l'aristocratie ou ailleurs, ce type d'original qui ignore le respect humain ?

— Dans l'aristocratie, on en trouve de moins en moins, hélas ! Ailleurs, j'en connais de savoureux. Je crois que c'est la guerre, puis la démagogie qui ont tué cette espèce. Aujourd'hui, les personnages sont en voie de disparition. On parle des chefs-d'œuvre en péril ? Eh bien, je dis que les gens qui ont un caractère bien trempé se font rares. L'aristocrate d'aujourd'hui — il n'en reste pas beaucoup de vrais — est fréquemment ennuyeux. Il ne songe trop souvent qu'à être le personnage de classe. Je connais une foule de ces gens dont le seul souci réel est la carte de visite où figure leur titre, vrai ou faux. Quand ils ont fait cela, ils ont tout dit. Et quand on les voit, on a l'impression qu'ils ont un nom d'emprunt. C'est grave et c'est triste. Remarque bien que ce n'est pas nouveau comme état d'esprit, mais cela a pris des proportions affligeantes. L'aristocratie, ce n'est pas un droit ni un passe-droit. C'est un état d'esprit que chaque génération doit retrouver sous peine d'extinction. Ce grand-père qui m'a tellement fasciné pouvait tout se permettre. Pas parce qu'il était le duc des Cars. Au contraire. Sa discrétion sur ce point est pour moi une qualité de vraie noblesse. Il se permettait de dire aux gens ce qu'il pensait d'eux, car il ignorait et méprisait le qu'en-dira-t-on. C'était un homme droit. Sa franchise, souvent arrogante, n'avait d'égale que sa sincérité. Quand j'ai vu pour la première fois *Cyrano de Bergerac*, j'ai retrouvé mon grand-père : esprit, courage, honnêteté, poésie et tendresse, bref toutes les composantes du panache. C'est pour cela que je crois qu'il la méritait, son aristocratie, alors que tant s'en contentent, bien qu'ils n'y soient pour rien, et vous assomment avec leur généalogie. Cabot, mon grand-père ? On ne le lui aurait pas dit deux fois. Ses convictions religieuses lui auraient peut-être interdit de se battre en duel — je n'en suis pas sûr —, mais ce dont je suis certain, c'est qu'il aurait verbalement giflé celui qui l'aurait traité ainsi. Le cabot fait un numéro en public. En privé, en famille, il se dégonfle. Mon grand-père était partout et tout le temps le même. Il ne jouait aucun rôle. Il était nature. Pendant des années, il fut conseiller général de la Sarthe, ce département que nous aimons toi et moi. Il avait sur la politique et sur les politiciens en général des vues qui n'étaient guère conformes à celle de la majorité des électeurs. Là encore il ne mâchait pas ses mots. Au sein de l'assemblée départementale, il eut, pendant des années, un ennemi de poids : Joseph Caillaux, président du conseil général, l'époux volage de Mme Caillaux, celle-là même qui, le 16 mars 1914, déchargea son revolver sur Gaston Calmette, le directeur du *Figaro*. Chaque année, à la rentrée, « ce bon m'sieur Joseph », comme disaient les paysans sarthois, devait prononcer le discours d'ouverture de la séance du conseil général. C'était d'ailleurs le seul jour où mon grand-père prenait la parole, d'une façon imprévue à l'ordre du jour, mais qui revenait avec la régularité du *Delenda est Carthago* du vieux Caton. Il interrompait Caillaux par ces mots, toujours les mêmes :

« Monsieur le Président, vive Jeanne d'Arc ! »

C'était devenu un rite. Les farceurs attendaient le moment de ce fameux « Vive Jeanne d'Arc ! » lancé dans les gencives radicalement républicaines de Caillaux. Celui-ci n'a jamais digéré cet affront. Et quinze ans plus tard, à Mamers, son fief, il m'a confié son supplice : « Ce « Vive Jeanne d'Arc ! » empoisonnait tous mes discours. Je savais, au début de chaque séance inaugurale, que votre grand-père arriverait à le caser. Tous mes confrères attendaient ce moment avec anxiété et un malin plaisir... Un jour, je crus qu'il n'allait pas le dire. J'étais à la fin de mon texte. Je venais de terminer par un solennel « Vive la République ! » quand il se leva et enchaîna à la seconde même « *Vive Jeanne d'Arc ! Car c'est bien elle, la sainte de la patrie que vous devez applaudir !* » (On parlait alors de canoniser Jeanne d'Arc.) Il y eut un éclat de rire général et pas un applaudissement. Ce vieillard m'avait volé mon succès ! »

Il faut croire que ce « Vive Jeanne d'Arc ! » avait fini par empoisonner non seulement les discours de Caillaux, mais aussi sa vie privée, car la personne chez qui je l'ai rencontré à Mamers et qui était son amie de cœur, s'appelait... Mme Purifié !

22

La franchise de mon grand-père n'était pas à sens unique. Il aimait qu'on lui dise les choses en face. Et cela donnait souvent des résultats savoureux. Une fois par an, il conviait à sa table tous les maires de son canton. Obligation politique qu'il avait tout de suite aménagée par une double propagande : au même déjeuner, il invitait tous les curés des paroisses dudit canton. A la fin de l'un de ces fantastiques banquets dont aujourd'hui les repas de noces en province, pourtant copieux et bien arrosés, ne donnent tout de même qu'une pâle idée, on servit des bols d'eau tiède dans lesquels marinaient les rondelles de citron. Il s'agissait d'un rince-doigts marquant la pause avant le café. L'arrivée de ce breuvage inattendu provoqua une panique chez ces bons curés. Que pouvait bien être le liquide très clair dans un bol ? Une infusion ? Tout de même pas un consommé ? Leurs regards angoissés se portèrent vers leur doyen, l'archiprêtre de Conlie. Celui-ci, après quelques instants où il dut implorer l'aide divine, eut le courage de porter le rince-doigts à ses lèvres et d'en avaler le contenu, comme si cela s'était toujours fait. Ce geste héroïque fut immédiatement imité par tous les braves curés ! En sortant de table, le doyen s'approcha de mon grand-père et lui fit un éloge à haute voix :

« Monsieur le Duc, ce déjeuner était de qualité. Quelle table que la vôtre ! »

Puis, baissant le ton :

«... Mais je sais que vous n'aimez que la vérité. Alors vous ne m'en voudrez pas de vous faire un léger reproche... Voilà... Le petit grog servi avant le café, eh bien, il était un peu fade ! »

Cher bon papa... Avec lui, tout était merveilleux. Il m'avait appris l'art d'être petit-fils. Lorsqu'il fut gravement malade, il refusa un médecin et des infirmiers chez lui, dans son hôtel particulier, cet hôtel de la rue de Grenelle qui est aujourd'hui l'ambassade d'U.R.S.S.

— Cela te fait quelque chose ?

— Au moins, comme ça, on ne l'a pas démoli. On en a tant détruit avec une rage imbécile ! L'ancien ambassadeur Vinogradov, qui était un homme charmant, m'a un jour écrit pour me signaler qu'en effectuant des travaux, on avait retrouvé les armes de la famille sur un mur. Bref, malade, le duc a exigé d'être transporté à l'hôpital Saint-Joseph, dans la salle commune. Il y a rendu le dernier soupir, vêtu de la robe du bure du tiers ordre de Saint-François, que lui avait apportée le duc d'Alençon. Il est mort au milieu de la misère qu'il avait toujours combattue et dans la tristesse, lui qui était si gai. On pourrait dire : « Il est mort comme il a vécu : avec allure. » Moi je trouve, passe-moi le mot, que cela a de la gueule. Car, finalement, sa plus grande qualité (et qui devrait être la première de l'aristocratie) était l'humilité. A ne pas confondre avec la démagogie de ceux qui n'en font pas assez et la suffisance de ceux qui en font trop. Ce duc était bon et juste avec les humbles, féroce et implacable avec ceux de son monde qui le décevaient.

J'adorais mon grand-père. Avec le temps, je l'estime pour cette grande raison : il était toujours à sa place.

— Un aristocrate a-t-il sa place dans le monde actuel ?

— Oui. S'il est à sa place, il est un « phare », l'un des guides de sa génération. Là est sa vraie mission. Pendant des siècles, des hommes ont gagné leur place à la pointe de leur épée. Aujourd'hui, c'est avec des idées qu'ils doivent se battre. Ils ont, je le crois, un devoir absolu : ne pas se figer, ne pas se contenter d'être nés. Certains ont cru que cela suffisait. C'est médiocre. Je crois aux gens titrés lorsqu'ils ne font pas une activité de leur naissance. Je crois en eux lorsqu'ils sont mécènes, princes de la science, explorateurs, promoteurs de parcs attractifs, grands exploitants agricoles, bref lorsqu'ils font quelque chose qui a de l'envergure, lorsqu'ils ont compris que dans notre monde qui bouge, c'est à eux d'être le plus près possible de la tête du mouvement. Nous savons que peu à peu le travail remplace le capital. Il y a près de quarante ans, je me suis heurté à mon père à cause de cette vérité. Le duc n'était pas toujours commode, et le fait d'être colonel de hussards ne le disposait pas à être indulgent avec les indisciplinés. J'étais — je le suis toujours — indiscipliné. Les jésuites m'envoyaient d'une de leurs « maisons » à l'autre pour ce leitmotiv : « Brillant élève, mais mauvais esprit. » A chaque fois, le supérieur affirmait à mes parents : « Nous materons ce garnement. » Aussi quand, malgré leurs efforts, j'ai annoncé à mon père : « Je veux écrire », sa réponse cingla comme un coup de sabre :

« Tu auras un métier sérieux. Tu seras officier de cavalerie et, si tu as un peu de temps, tu rédigeras tes Mémoires. »

Si je l'avais écouté, je serais dans la garde républicaine ! Tu m'y vois ? Je devais être blanc de peur en osant lui répondre :

« J'écrirai, et si mes écrits me rapportent un peu, j'achèterai des chevaux. »

Je n'ai pas acheté de chevaux, mais je crois que j'ai bien fait de désobéir à mon père. Depuis, cela se fait beaucoup...

— Finalement, c'est en devenant Guy des Cars que tu estimes avoir le droit d'être aussi le comte des Cars. Est-ce que cela n'est pas de trop ?

— Cela prouve simplement qu'avec mon patronyme j'ai créé un pseudonyme. Et en plus, on m'a surnommé « Guy des Gares », ce qui ne me gêne pas.

Là, je sens qu'il est content. Il m'a sorti l'une de ces boutades qui agacent ses ennemis plus encore que ses livres. Pour la dixième fois au moins, il rallume le cigarillo qui s'éteint toujours sous le souffle de son verbe. Dans ce bureau de la rue d'Anjou, nous sommes seuls. Témoin silencieux, le magnétophone tourne. Un rideau de pluie tombe sur le square Louis XVI, dont les arbres montent jusqu'à notre vue. Dimanche d'automne, quartier désert : c'est un tendre moment pour les souvenirs... Je ne peux résister à l'envie de sortir quelques photos jaunies et des gravures d'époque pour jouer au jeu des portraits de famille.

— Et les autres, les ancêtres, il y en a que tu aurais aimé voir vivre de près ?

Un silence. Il fait son choix :

— Si la machine à remonter le temps existait, il y en a deux que j'aimerais avoir à ma table pour un dîner historique. Le premier est une femme, et même une maîtresse femme puisqu'elle a interdit à Molière de jouer avec sa troupe dans le Limousin. L'affaire s'est passée vers 1650. Molière n'était encore que l'animateur de la troupe de l'*Illustre-Théâtre*. Le Roi-Soleil ne l'avait pas encore réchauffé de ses rayons et de ses pensions. Molière — il n'a pas trente ans — arrive avec ses comédiens aux portes du Limousin. Comme tout ce qui touche au théâtre est mal vu et ses adeptes excommuniés, il semble que notre maîtresse femme, qui était une parente du gouverneur de la province, ait fait pression sur celui-ci afin que Molière installât ses tréteaux ailleurs. Il faut dire que Les Cars, le berceau de la famille, est un village à une trentaine de kilomètres de Limoges et que la famille a gouverné le Limousin jusqu'à la Révolution, date à laquelle tous ses représentants perdirent la tête, tous sauf un qui eut le bon esprit de sentir que les Conventionnels ne pardonneraient pas sept siècles de taille, de corvée et (peut-être) de droit de cuissage !

— Il a émigré. C'est une attitude de noble, ça ?

— C'est une attitude prudente ! Molière n'a, paraît-il, pas digéré l'affront subi. Vingt ans plus tard, il s'est vengé, avec la dernière œuvre que lui ait commandée Louis XIV. L'occasion était le remariage de Monsieur avec la princesse Palatine. Le Roi-Soleil ne détestait pas « donner un coup de pied dans la fourmilière de la cour », c'est-à-dire voir tourner en dérision certains travers des courtisans et ridiculiser des modes. Molière écrit donc *La Comtesse d'Escarbagnas*, où il met en scène notre mégère. Oui, à l'époque, des Cars s'écrit d'Escars. (Je n'ai pas découvert l'explication historique de cette coquetterie. Mais je préfère avoir un nom de transport en commun qu'un nom qui sent la maladie !)

La Comtesse est un acte en prose, qu'on pourrait sous-titrer : « Peintures d'un salon de province », mettant en scène une précieuse — aujourd'hui, on dirait : une snob — qui assomme tout le monde parce qu'elle est allée à Paris et qu'elle est encore éberluée d'avoir pu faire ce voyage. Elle déclare à propos de ses voisins de province — Molière a situé la scène à Angoulême : « *Où auraient-ils appris à vivre ? Ils n'ont point fait de voyage à Paris !* »

C'est donc une femme pédante et prétentieuse. Ce qui est amusant, c'est que le personnage de la comtesse et la pièce, créée à Saint-Germain le 2 décembre 1671, ont servi de modèle aux *Femmes savantes*, créées un an plus tard, en 1672.

Je ne sais pas si la vraie comtesse vivait encore à l'époque et si elle s'est reconnue. Elle avait, paraît-il, une réputation de procédurière. Pour un rien, pour un oui ou pour un non, elle assignait tout le monde en justice ; mais comme Molière était devenu le directeur de la *Troupe du Roy,* elle n'a sûrement pas osé se plaindre : on ne fait pas un procès à Louis XIV !

Chère *Comtesse*... On ne la joue plus depuis 1938, bien qu'elle soit théoriquement au répertoire du Français. Molière, lui, l'a fait jouer quarante-cinq fois, soit presque autant que *Les Femmes savantes.* En deux cent soixante-sept ans, *La Comtesse* n'est montée sur les planches que six cent vingt-quatre fois, soit environ deux cent trente fois par siècle. Ce n'est pas assez pour atteindre à l'immortalité. Mais elle s'est vengée : elle n'a pas salué Molière lors du programme du tricentenaire de sa mort...

— A moins que ce ne soit Molière qui se soit vengé en lui infligeant la pénitence de l'oubli ? Les des Cars sont rancuniers ?

— Je ne le pense pas. Mais certains, dont je suis, ont bonne mémoire...

— A propos de mémoire, est-ce que l'on se souvient mieux de ton autre invité à ce dîner impossible ?

— Les Pieds-Noirs ne peuvent pas l'avoir oublié. Il a donné Alger à la France, en 1830. D'ailleurs nous sommes de vieux amis, lui et moi... Son buste est à quelques pas de ce bureau, dans la salle à manger.

— Si nous allions lui faire une petite visite ? Tu pourras me parler de lui face à lui. Et qui sait, s'il n'est pas d'accord, il protestera peut-être ?

Sur un buffet — qui n'est pas Henri II —, il trône, taillé dans le bronze. C'est lui qui préside vraiment les agapes familiales.

— Fais les présentations...

— Amédée, François, Régis de Pérusse, duc des Cars, lieutenant général commandant la 3e division du corps expéditionnaire de l'armée d'Afrique, sous les ordres du maréchal de Bourmont. Franchement — et comme je ne lui ressemble pas du tout, je peux le dire — il est très beau. Bouche sensuelle, chevelure abondante et blonde, des yeux qui, paraît-il, étaient bleus, comme ceux de mon père — et des favoris discrets. Quant à ses décorations sur la poitrine, il a le bon goût de ne pas en abuser.

Tu vois, il nous regarde sans sévérité mais sans indulgence. Chaque fois que nos yeux se croisent, je pense à la devise de la famille — la sienne, la nôtre : « *Fais que dois, advienne que pourra.* » Franchement, elle ne m'enchante pas tellement, cette devise. Aujourd'hui, elle a un côté fataliste qui me déçoit. Seulement, de Saint Louis à 1830, cet « *advienne que pourra* », c'était la place de la volonté divine. C'était, écrit d'une autre façon : « Si Dieu le veut. » En revanche, « *Fais que dois* » me plaît beaucoup. Et notre conquérant a fait ce qu'il devait : il a conquis, et pour une fois ce ne fut pas une boucherie exagérée. Ce ne fut tout de même pas une promenade d'agrément. Avec ses dix milles hommes, il ne s'est pas ménagé. En quatre jours, du 25 au 29 juin 1830, sa seule division a perdu mille combattants. Il réclamait toujours l'hónneur d'être en première ligne, et dans la prise d'Alger il a souvent tenu les positions les plus difficiles. J'ai retrouvé — et pourtant je ne suis pas un rat d'archives — un portrait de lui fait par le prince de Schwartzenberg, fils du maréchal qui commandait les armées de la dernière coalition en 1815. Il écrit ceci : « *Le général méritait complètement l'affection et la considération que chacun lui accordait. Brave devant l'ennemi, aimable dans ses manières, il réunissait les qualités du soldat à celles de l'homme du monde. Dans les combats, et à la manière dont il supportait la fatigue, on l'aurait pris pour un grenadier. C'était un vrai type de l'ancienne chevalerie française ; il était honoré même de cette partie de l'armée que ses opinions politiques éloignaient le plus de lui. Là où le péril était le plus grand, il donnait l'exemple de la plus belle bravoure et les ordres les plus sages. Il savait ménager la vie du soldat et exposer la sienne.* »

Oui, je sais, c'est un peu long, un peu laudatif, mais en le regardant je l'imagine bien ainsi. Ni brute ni lâche... Et quand Bourmont prit officiellement possession d'Alger, le 3 juillet, il s'engagea envers le dey d'Alger sur plusieurs points, notamment « *à respecter les femmes des habitants d'Alger. Le général en chef en prend l'engagement sur l'honneur* ». Je suis sûr que le duc des Cars fut très strict sur l'exécution de cet ordre. Pourtant, je pense qu'il savait également conquérir les cœurs.

Est-ce la flamme ravivée des souvenirs ? Il me semble que le visage de bronze s'est animé, éclairé d'un sourire presque complice...

— Aujourd'hui, il y a encore des conquérants ?

— Il n'y a plus grand-chose à conquérir par les armes. Mais il existe un pays qui est en train de se conquérir lui-même : c'est le Brésil. De Manaus à la frontière du Pérou et de la Colombie, l'Amazone est le théâtre d'une véritable conquête de l'Ouest de l'Amérique du Sud. Chose incroyable : on vient de découvrir un affluent de l'Amazone d'une longueur de cinq cents kilomètres. Une rivière comme la Seine et que personne ne connaissait ! C'est fascinant. Et c'est une leçon pour tous ceux qui prétendent que nous sommes mieux informés qu'il y a dix ans. Les hommes de l'espace, des conquérants ? Je ne crois pas. Il y a trop de technique et d'automatismes dans une mission. Je suis peut-être injuste, mais après les premiers pas sur la lune, l'enthousiasme des millions de terriens non arrachés à la pesanteur est retombé à zéro. Tiens, pendant que nous parlons, l'équipe de *Skylab* est toujours en l'air depuis un mois. Qui s'en soucie en dehors des spécialistes ? C'est devenu de la routine, presque une rubrique comme celle des accidents de la route. Tu ne trouves pas cela choquant, toi, le journaliste ?

— Il y a surtout une terrible loi : celle de la relativité de l'actualité. Dans les quotidiens de province, cette loi est constamment vérifiée : « Un facteur se noie dans la Sarthe » peut avoir droit à la première page à côté de « Trois mille morts de faim en Inde » ou « Skylab : ils reviennent ! »

— Justement, c'est peut-être pour cela qu'ils ne sont pas des conquérants, ces astronautes : on est sans cesse au courant de ce qui leur arrive. On peut les aider, on peut les sauver. Tandis que lorsque « l'information » n'existait pas, on ne connaissait que le résultat, souvent avec un grand décalage. Quand Stanley et Livingstone s'enfonçaient en Afrique, le tam-tam ne traversait pas la Méditerranée. Les conquérants, ce furent d'abord des gens dont on était sans nouvelles...

— Mais du général, il me semble que tu as eu des nouvelles ou plutôt des nouvelles de sa statue...

— Oui. Tristes nouvelles, d'ailleurs... Cela avait bien commencé, si je puis dire, par un décret présidentiel du 28 mai 1912 autorisant l'érection du buste du général, sur la demande du conseil municipal de Dély-Ibrahim, la proposition du préfet d'Alger et l'avis du gouverneur général de l'Algérie. Dély-Ibrahim, c'est le champ de bataille où le lieutenant général s'est illustré. Il avait installé son Q.G. dans un petit bois. Ce petit bois, avec le temps, a connu d'autres stratégies, d'autres tactiques. Les amoureux s'y sentaient en sécurité pour des ébats sans témoins. Il paraît même que le socle du buste était annoté d'émouvants « A toi pour la vie » ou « Toi et moi », le tout enserré dans un cœur digne de Peynet. Bref, le général voyait la vie en rose...

En signant le décret, M. Fallières s'était montré le président d'une République reconnaissante aux conquêtes coloniales de Charles X. Républicains ou monarchistes, sous le soleil algérien, on était entre Français. On sait ce qu'il advint. Avec l'avènement de la République algérienne, le duc des Cars — il ne fut pas le seul — fut déclaré *persona non grata*. Son buste avait cessé de « *conserver au milieu des populations rurales du Sahel le type du noble, distingué et généreux soldat* », pour devenir un symbole arrogant de la colonisation. Le général fut assassiné à titre posthume : un matin sanglant de l'indépendance, une balle de revolver traversa son buste. Plus tard, à Alger, on a voulu débaptiser la rue des Cars. Depuis, dans plusieurs pays d'Afrique, des dizaines de noms français ont disparu, même ceux de capitales. Par exemple, Fort-Lamy, c'est fini. C'est devenu Najamena. Il n'y a guère que le nom du général de Gaulle qui ait échappé à cette révolution culturelle. C'est là où l'on reconnaît l'indépendance des nations : dans leur faculté de se donner un nouvel état civil.

Après avoir été « assassiné », le duc fut « exilé ». Une scène d'émotion intense s'est déroulée dans la cour d'une caserne des environs d'Alger. Le colonel de Monclin, chef de cabinet du général Le Masson, commandant le corps d'Armée d'Alger, avait été chargé de rassembler à Reghaia, dans une cour de l'état-major, les statues et monuments transportables érigés en l'honneur des conquérants français, tous ceux qui avaient permis que pendant près de cent trente ans l'Algérie fût un département français et Alger la seconde ville de France. Environ une trentaine d'hommes. Leurs statues et leurs bustes furent alignés en bon ordre. Certains avaient déjà souffert de la décolonisation. L'officier les passa, en quelque sorte, en revue. C'était une forme particulièrement émouvante de l'appel aux morts... Il y eut, paraît-il, une minute de silence devant ces témoins figés, seulement couverts de leur poussière de gloire, et tous — en bronze ou en pierre — décapités, mutilés ou éventrés, mais dans un dernier garde-à-vous sous le soleil de la Mitidja. Peut-être pensaient-ils que l'expédition d'Alger avait été effectivement décidée un 13 mai — oui, le 13 mai 1830 ?... Les conquérants déboulonnés prirent le chemin de la France qui n'était plus la métropole. Le général voyagea aux frais de l'armée jusqu'à Marseille.

Retour sans faste, presque en hâte, d'un duc rapatrié lui aussi. Dans sa caisse, il attendit d'être dédouané. Puis la famille assura son transport vers Paris. Son voyage s'y termina un matin à la gare des Batignoles, où il fut démobilisé contre la remise de son titre de transport : Alger-Paris via Marseille.

Le général était en règle, prêt pour la retraite. Il l'a prise dans le château familial de Sourches, près du Mans, bien qu'il ait été convenu, à l'époque, qu'il nous reviendrait...

— Tu as donc hérité d'une copie ?

— Oui. Sa valeur historique est évidemment faible, puisqu'il ne vient que du grenier d'une vieille tante. Mais, finalement, je crois que je préfère le voir intact sans sa blessure au flanc gauche. Elle nous a fait à tous mal au cœur et pour nous elle saigne encore. Mais notre buste a connu une gloire que peut lui jalouser l'original : celle de la télévision. C'était en octobre 1971. Eliane Victor m'avait demandé, tu t'en souviens, de faire la dernière émission de la série : *L'Invité du dimanche*. Je fus heureux d'y réunir quelques amis : Gaston Bonheur, l'historien Arnaud Chaffanjon, le cher Roger Cazes, patron de l'inégalable brasserie Lipp qu'il m'arrive de fréquenter un soir sur deux, et Enrico Macias.

Sans faire de politique — je n'en ai jamais fait — j'avais envie de rendre hommage au général. Arrive le dimanche. Je transporte le buste au studio de la rue Cognacq-Jay. Le gardien, soupçonneux devant le bronze qui n'a pas de laissez-passer, m'interroge :

« Vous allez au magasin des accessoires ?

— Je vais sur le plateau de *L'invité du dimanche*. L'invité, c'est moi.

— Ah ! bon... C'est à vous, ça ?

— « Ça » ? Oui, c'est à moi. Un ancêtre...

— Remplissez tout de même le formulaire. Sinon vous ne pourrez pas le ressortir. »

L'O.R.T.F. était devenu prudent à la suite de certaines disparitions d'accessoires. Les instruments de musique, en particulier les pianos à queue, avaient tendance, m'a-t-on dit, à être déménagés par des Arsène Lupin de studios.

Je remplis : « Nom de l'émission, origine de l'accessoire, destination. » Et j'enfonce le papier dans ma poche.

On installe le buste au milieu des plantes vertes. Des pauses musicales avaient été prévues pour « aérer » l'émission. La première devait être fournie par un orchestre uniquement composé de femmes. Ensemble émouvant — l'un des derniers du genre qui charmait les clients de la brasserie Maxéville, boulevard Montmartre. Déversant leurs valses langoureuses sous l'œil du duc de bronze, ces dames répètent. L'une des violonistes, le regard perdu dans le fouillis de câbles et de projecteurs, glousse un petit cri :

« Mais c'est le général des Cars ! »

Native d'Alger, la violoniste venait de reconnaître ce Pied-Noir rapatrié lui aussi.

Puis Enrico Macias me fit l'amitié de chanter une chanson d'amour inédite. Les cameramen cadrèrent sur une même image celui que Paris avait pris dans ses bras avec celui qui avait pris Alger. Décidément, le général était en pays de connaissance...

Mais le fait de passer à la télévision a beau être

une carte de visite enviée, ce n'est pas un passe-partout. Quand quatre heures plus tard je me retrouvai devant la loge du gardien, il avait dû se produire un changement d'équipe. Le nouveau responsable me dit, en découvrant le buste :

« C'est un accessoire personnel ?

— Oui... Je l'ai apporté pour *L'Invité du dimanche*.

— Ici, vous savez, je ne regarde pas les émissions... »

Logique. Et, administratif, il poursuit :

« Vous avez dû remplir un formulaire d'entrée ? »

Je fouille mes poches. Rien qui ressemble à une déclaration d'importation temporaire en O.R.T.F. J'avais perdu ce papier !

« Je suis désolé... Je ne le retrouve pas. C'est stupide...

— Ah ! monsieur, c'est embêtant cela... Nous avons des ordres très stricts !... »

L'arrivée d'un réalisateur de l'émission me sauva...

Dans le regard du gardien, il me sembla voir ce commentaire laconique :

« Encore un général qui passe... »

Moralité : à la télévision comme ailleurs, il est facile d'être célèbre, il est beaucoup plus difficile d'être connu.

— Comme « fils de famille », tu as naturellement été élève des jésuites. Est-ce un bon souvenir ?

— Douze ans pensionnaire, levé à six heures trente, la glace à casser dans les lavabos les matins d'hiver, des versions grecques et latines de quatre pages, du poisson pas toujours frais le vendredi mais qu'il fallait mâcher pendant qu'un élève lisait la vie d'un saint, des châtiments durs et la messe considérée comme une distraction, cela ne constitue pas, à priori, de bons souvenirs...

C'est pourtant chez les « bons Pères » (dans « nos Maisons » comme disent les jésuites en parlant de leurs institutions) que j'ai pris goût... au théâtre.

Si aujourd'hui, j'aime aussi bien une bonne revue des Folies-Bergère qu'une bonne pièce de boulevard, c'est un peu parce que les jésuites étaient de grands organisateurs de spectacles. Avec une maestria digne de Cecil B. de Mille (« Cecil Billet de Mille » comme disait Henri Jeanson), ils transformaient leurs bons élèves en mauvaises troupes théâtrales. Des troupes dont le répertoire n'avait rien à envier à celui des tournées de province qui jouent sans avoir le talent éclectique de la Comédie-Française *La puce à l'oreille* en matinée et *Ruy Blas* en soirée.

Evidemment, chez les jésuites, on faisait plutôt dans le théâtre bien pensant.

Mon premier rôle — quand je dis premier, c'est par ordre chronologique — était une apparition modeste dans *Tarcisius*, une tragédie bien sûr, se déroulant au commencement de l'ère chrétienne. *Tarcisius* était une œuvre édifiante : cinq actes adaptés d'une légende par je ne sais plus qui. Un jeune praticien, Tarcisius, qui était chargé de porter l'Eucharistie pendant les persécutions de Néron, se faisait lapider par la foule des païens plutôt que de livrer son précieux Trésor. L'action emmenait le spectateur dans les catacombes où le pape Calixte disait une messe, et aussi au Forum où se déroulait une grande fête, c'est-à-dire un vague ballet pudiquement réglé par un bon père, sur les conseils du moniteur d'éducation physique.

J'ai dit que les bons élèves avaient le droit de jouer dans ces pièces. Or, mon assiduité aux études était plutôt relâchée. J'étais beaucoup plus intéressé par un projet de journal (qui est devenu celui des Anciens Elèves) que par les récits de Xénophon, les pages de Tacite ou le carré de l'hypothénuse. Rien donc ne me destinait à monter sur les planches du collège.

Au lieu de récolter des bons ou des mauvais points à la fin de chaque semaine, on obtenait des... voyelles de l'alphabet : A, E, I, O. A pour les élèves très gentils et très studieux, O pour les chahuteurs et les cancres. E, I pour les moyens. A cause du chahut — les jésuites disaient « mauvais esprit » — j'avais souvent des O, des zéros en quelque sorte. Mais quand je découvris la petite affiche placardée sur les murs de l'*atrium* (parloir) par le concierge qui annonçait que seuls les élèves A auraient un rôle dans *Tarcisius*, un zèle soudain me poussa à des efforts très intéressés. J'eus des notes bien meilleures. J'eus droit à la lettre A sur mon carnet. C'était un miracle, ce qui était normal s'agissant d'une tragédie chrétienne...

Tragédie à grand spectacle : nous étions plus de cent en scène ! La figuration était d'autant plus nombreuse qu'elle était gratuite. Le metteur en scène (soyons juste : c'était plutôt un metteur en place) qui était le président des Anciens Elèves, un certain baron de Berwick, nous réunit pour nous lire la pièce et, sa lecture terminée, conclut :

« Je tiendrai le rôle du pape. Qui veut être chrétien ? »

Tous les doigts se levèrent.

— Moi ! Moi ! Moi !

— Et qui veut être païen ?

Un silence pas catholique fut la seule réponse. Le metteur en scène se fit convaincant.

— Allons, mes enfants... Il nous faut tout de même des païens... Pas trop, bien sûr, mais tout de même...

Son regard lourd de reproches allait de l'un à l'autre.

Il continua :

— Bien. Dans ces conditions, je vais désigner un volontaire...

Et le premier « volontaire », ce fut moi.

— Toi ! Tu es le plus petit, cela ira. Passe à gauche, les chrétiens à ma droite... »

Le « pape » se prenait pour Dieu le Père. Les chrétiens à sa droite, les païens à sa gauche ; sa distribution prenait des allures de Jugement dernier.

Une heure avant la représentation, nous reçûmes l'ordre d'aller nous faire maquiller.

De ses mains onctueuses, le « pape » en personne enduisait d'un vague fond de teint les visages de collégiens se présentant devant lui. Et pour moi, le maquillage c'était la clé du théâtre. Pas de maquillage, pas de théâtre. Pierre Gaxotte, le souriant académicien, racontait qu'ayant un jour donné des places de théâtre à sa cuisinière, celle-ci n'était pas rentrée contente de sa soirée.

« — Mais pourquoi ? demanda Pierre Gaxotte. La pièce ne vous a pas plu ?

— Ce n'était pas du théâtre, monsieur. Pour moi, le théâtre, c'est une reine qui a des malheurs... »

Admirable formule... Eh bien, pour moi, à l'époque, le théâtre c'était d'abord des acteurs maquillés. Le « make-up » qui fut plus tard si élaboré à Hollywood était un véritable passeport pour les planches.

— Chacun son tour ! Ne poussez pas ou je consigne ! » menaçait le « pape » pour canaliser la marée humaine qui se bousculait devant ses pots de crème. Une consigne ? Etre consigné par le « pape » au lieu de jouer ? C'eût été comme une excommunication !

Ce fut le moment où le garçon qui me suivait me tapa sur l'épaule. Je me retournai.

— Tu es païen, toi ? » me demanda-t-il d'un air méfiant.

— Oui... pas toi ?

— Je suis chrétien ! Alors, je passe devant toi ! Les païens sont maquillés après les chrétiens... »

De chrétien en chrétien, je dus reculer jusqu'à la fin de la colonne.

Quand enfin j'arrivai devant « Sa Sainteté », elle me donna une tape amicale rappelant celle de la Confirmation et m'avoua :

« Je n'ai plus de fond de teint... Mais tu es tellement brun que tu n'as pas besoin de maquillage...
Ça ira, ne t'inquiète pas. » Plus de fond de teint !
La rage me monta au cœur. C'était trop fort : j'avais
cédé ma place et, païen, on m'avait persécuté. Un
comble ! Jouer sans être grimé, quelle honte ! Tout
le monde, c'est-à-dire mes parents, ma famille, tout
le monde me reconnaîtrait...

Mon rôle était muet et je n'étais pas souvent en
scène. Ce qui me fait penser au fameux sketch de
Fernand Raynaud, l'histoire du hallebardier dans un
sombre drame qui raconte : *« Je n'apparaissais qu'au
cinquième acte ! »*
Pourtant, malgré l'absence de texte, j'avais, si je
puis m'exprimer ainsi, mon mot à dire : d'une
mimique, j'indiquais à la foule que Tarcisius était un
chrétien. Je le dénonçais. Et quand ce moment de
grand suspense arriva, je mis toute ma rage de
gosse qui a le cœur gros dans mon geste de délation...
Et plus tard, je me suis vengé du baron qui m'avait
persécuté en déclarant que c'était bien le plus mauvais pape que j'aie vu en scène...

Le théâtre était devenu une occupation privilégiée
pour un petit groupe dont je faisais partie. Notre
zèle aux études était intermittent. Dès qu'il était
question d'une nouvelle pièce, je quittai provisoire-
ment la zone des O pour gagner celle des A. J'ai ainsi
joué *La Belle Hélène*, pudiquement transformée en
Voyage d'Achille. C'était bien l'histoire d'une ran-
donnée mais pas tout à fait celle imaginée par
Meilhac et Halévy. Même les flonflons pétillants et
la spirituelle musique d'Offenbach avaient été « ar-
rangés » par le professeur de musique. Quand je vis
la pièce intégrale beaucoup plus tard, j'eus quelques surprises.
J'ai aussi joué *Esther* et *Athalie*... en travesti. Les

jésuites semblaient raffoler des déguisements. J'ai joué (c'est fou ce que j'ai joué...) *Le Gendre de Monsieur Poirier* sans sa fille. Elle avait été remplacée par un « frère » dont le rôle était parfaitement grotesque. Le comble des combles a sans doute été l'adorable *Triple-patte* de Tristan Bernard : tous les rôles féminins y étaient supprimés !

Quand je pense qu'il y a aujourd'hui des gens pour se plaindre de la censure ! On aurait pu, en ce temps-là, constituer une nouvelle S.P.A. (Société de Protection des Auteurs) car certains auraient eu du mal à reconnaître leur prose ou leurs vers dans ces versions adaptées, édulcorées et asexuées. D'autres auraient sans doute été ravis : être joués dans les patronages, c'était tout de même une référence.

— Mais tout cela constitue de bons souvenirs...

— Aujourd'hui, oui. Mais sur le moment, je prenais tout très au sérieux.

— Tu n'as tout de même pas fait le conservatoire ?

— Loin de là... Et mon père, averti de mes penchants pour ce qui n'était pas encore la vie d'artiste, me dit un jour :

« Les études, c'est bien joli, mais il te faut un métier manuel. » Et mon frère et moi prîmes des leçons de cordonnerie et de menuiserie.

Cela se passait à Saint-Symphorien, ce village sarthois où nous nous sentons en famille, à deux kilomètres du château. Nous avions une dizaine d'années et pendant trois étés, nous avons travaillé chez des artisans du village. Inutile de dire que nous étions ravis. Nous nous sentions utiles et nous voyions le résultat de nos efforts. J'ai réussi à faire une paire de galoches, ces chaussures en bois qui viennent du fond de notre histoire puisque la galoche était la chaussure ou le sabot gaulois... Et je ne fus pas peu fier d'accrocher cette paire à côté de toutes les autres, pendues à un fil au-dessus de l'atelier qui sentait bon le cuir et la colle.

Ces trois ans de travaux pratiques de vacances furent sanctionnés par un brevet d'apprenti cordonnier. C'est mon plus beau diplôme. Mon frère était plus intéressé par le travail des planches et des lattes de bois.

Le menuisier, qui travaillait pour tout le monde, faisait aussi, bien entendu, les cercueils. C'était absolument passionnant. Nous adorions le voir préparer des modèles différents, de tailles diverses. Et un jour, nous sommes rentrés horriblement en retard pour déjeuner à Sourches. C'était épouvantable. La cloche avait sonné. Mon père qui supportait mal d'avoir faim, était à table et son accueil fut glacial.

« Pourquoi êtes-vous en retard ? Le menuisier sait très bien que vous devez être à l'heure... » tonna-t-il.

Nous n'eûmes pas à mentir.

« Père (je n'ai eu le droit de le vouvoyer qu'à ma majorité) c'est à cause de l'enterrement du cafetier... »

Mon père blêmit. Pour le duc des Cars, ce n'était pas une raison.

« Comment ?

— Mais c'est la vérité... On l'a enterré tout à l'heure. Nous sommes allés jusqu'au cimetière... C'était normal. C'est nous, en grande partie, qui avons fabriqué son cercueil... »

Le soir est tombé avec le silence. Mais le musée de ses souvenirs est toujours ouvert. Il n'y a pas d'heure ni de jour férié pour la mémoire.

A l'autre bout de la pièce, entre deux fenêtres, un portrait en pied nous domine. Immense, magnifique. Un portrait de femme. Elle a l'allure d'une grande dame. On a l'impression de l'avoir rencontrée dans *A la recherche du temps perdu*. Elle est belle. D'immenses yeux noirs lui dévorent le visage qui est encore celui d'une jeune fille. Mais la taille bien prise dans une robe sévère atteste qu'elle est déjà femme.

— Tu regardes maman ? Elle fut l'une des plus

belles femmes de son temps. Un temps, d'ailleurs, où la mode habillait admirablement toutes les femmes. C'est ce portrait — il date de 1903 — qui m'a donné l'idée d'un roman : *La Tricheuse*. Quand, petit garçon, je regardais ce tableau, je trouvais que maman avait l'air plus âgée qu'en réalité. C'était encore le temps où la femme de trente ans était une femme plus que mûre. Vingt ans plus tard, en regardant ce même portrait, ma mère me semblait avoir rajeuni. Entre-temps, les femmes avaient toutes appris à tricher avec leur âge et leur beauté. *La Tricheuse*, c'est une femme qui ne vieillit plus, c'est-à-dire qu'à cinquante ans elle peut en paraître trente-cinq.

— Je crois que cette belle dame venait de très loin...

— Oui. Elle arrivait littéralement du bout du monde, d'un pays que peu de Français connaissent, mais que certains ont porté aux nues lorsqu'il s'est engagé dans une aventure politique désastreuse. Les mêmes ont d'ailleurs récemment tenté de mobiliser l'intelligentsia pour voler à son secours : le pays se trompait de révolution. Eh bien, oui ! c'est le Chili. Maman était chilienne, et je dois à cette nationalité lointaine d'avoir découvert une Amérique du Sud fabuleuse. Et pourtant, j'étais envoyé là-bas « en exil »...

— Ce n'était tout de même pas un bagne ?

— C'était le paradis ! Je ne te parlerai que du Chili que j'ai connu. On n'y faisait pas la révolution, mais des choses tellement plus agréables dans un décor qui est, je pense, l'un des plus beaux du monde. L'aventure a commencé... à Nancy. Théoriquement, j'y étais étudiant en droit. Le droit, dans les années 1930, c'était un paravent derrière lequel s'abritaient beaucoup de fils de famille qui ne savaient pas trop quoi faire et dont les parents ne savaient pas quoi faire non plus ! Mon père m'avait donné huit jours pour choisir une carrière, j'avais fait semblant de baisser pavillon. Car moi je savais très bien que je voulais écrire, et pas des actes notariés... J'aurais donc un alibi officiel tout en conservant mes rêves secrets. Heureusement, mes études se déroulaient davantage dans les brasseries que dans les amphis. Quelle pouvait être l'importance de savoir qu'en droit romain il y avait une différence entre le mariage *cum manu* et le mariage *sine manu*? Pour moi, aucune. J'étais quotidiennement le témoin d'un nombre impressionnant de mariages de la main gauche. A force de vivre dans une atmosphère de mariages, je tombai amoureux. De bonnes langues avertirent mon père. L'avertissement fut aggravé par des résultats d'examen particulièrement désastreux.

Comme toujours, le duc prit une décision sur-le-champ :

« Mon garçon, cela suffit ! Tu vas partir très loin. Et je compte bien que cet éloignement te fera prendre la vie au sérieux. Tu as vingt-quatre heures pour préparer tes bagages... »

C'était dit, comme d'habitude, d'un ton militaire. C'était un ordre, excluant toute réplique. Mais je n'eus pas, ce jour-là, l'envie de répondre. Je passai une nuit de fièvre : je partais pour le Chili ! A vingt mille kilomètres de la Lorraine ! J'eus quelques larmes pour mes amies et pour mes nuits passées à griffonner des couplets de revue ou des nouvelles sur un coin de table, entre les demis et les assiettes de charcuterie. De la prose alimentaire en quelque sorte, qui ne me rapportait alors que des rêves de gloire... Mais l'aventure était là ! Partir sur les traces de Pizarre, traverser la cordillère des Andes, observer la Croix du Sud, se baigner dans le Pacifique, c'était fabuleux ! Le voyage aussi, d'ailleurs, car, bien entendu, à ce moment-là les moyens de transport ne vous laissaient pas sur votre faim. On avait le temps d'avoir l'impression de voyager... Une exquise impression que la rapidité des Boeing a rendue bien rare aujourd'hui ! On est frustré... Il n'y avait que quelques sacs de courrier qui prenaient l'avion. L'Aéropostale était créée, mais « la ligne » n'était pas encore pour les passagers. Pour moi : bateau jusqu'à Buenos Aires, train de Buenos Aires à Santiago, bref des semaines de voyage. A peu de chose près, l'expédition avait le rythme de celle des conquistadores.

— Quel fut ton premier « choc » d'Amérique du Sud ?

— Le Brésil, car Rio fut la première escale du *Conte Verde*, un paquebot italien sur lequel j'avais été embarqué. Mais Rio a été tellement décrit que je te renvoie à ta salle Pleyel habituelle. Sur le moment, ce fut à Santos, le port de São Paulo, que je fus très impressionné. Santos était l'un des grands centres d'exportation du café. Sur les docks, des centaines de Noirs déchargeaient des trains entiers de café et remplissaient des bateaux à destination de l'Europe. Sur les quais, une épouvantable odeur de brûlé assaillait les narines. Et je remarquai que toutes les locomotives des trains de voyageurs étaient à l'arrière des wagons. L'explication était simple : l'Europe ne pouvant plus livrer de charbon au Brésil, les locomotives marchaient au café ! Mais l'odeur était telle que pour ne pas incommoder les voyageurs, les machines poussaient les wagons au lieu de les tirer.

— Le grand-père à bottines autour du cou aurait été ravi...

— Sûrement ! D'autant que j'ai retrouvé une littérature ferroviaire à Buenos Aires. La librairie française avait consacré une vitrine entière à *La Madone des sleepings*. Je me devais d'y entrer. Il était charmant, le libraire, le señor Benavides, tout rond et portant des lunettes d'or...

« Ah ! monsieur ! Quelle joie de voir un Français !... »

Je le félicitai sur son manque d'accent espagnol.

« C'est que, me dit-il, je lis beaucoup dans votre langue.

— Et quels sont vos auteurs préférés ?

— Mais, voyons, cela ne fait aucun doute : les deux plus grands, c'est-à-dire Maurice Dekobra et Balzac ! »

Note l'ordre du choix. Il me rappelle une anecdote récente. En voiture, un soir, porte Maillot, je passe à un feu orange. Sifflet d'un motard que je n'avais pas vu. Je prends un air désolé, sincèrement navré. Je laisse entendre que je ne le ferai plus... Rien n'y fait. Je suis bon pour le procès-verbal. Quelques jours après, un ami intelligent doublé d'un producteur d'émissions littéraires, Pierre Lhoste, se trouve dans un café-restaurant du Val-de-Marne. Il habite à côté et vient souvent l'après-midi, quand la salle est déserte, lire un livre pour préparer son émission.

La patronne s'approche et lui dit :

« Ah, monsieur Lhoste, vous qui voyez les écrivains, vous connaissez peut-être Guy des Cars ?

— Je le connais très bien. Mais pourquoi ?

— Vous savez que Fernand, mon mari, est motard. Et il a mis un procès-verbal à Guy des Cars ! Pour un feu rouge !

— Mais... je ne vois pas ce que je puis faire ?

— Monsieur Lhoste, c'est épouvantable ! Il est mon auteur favori ! Je ne lis que Guy des Cars. Avant, j'aimais Balzac... »

Tout de même...

Et c'était vrai !... La femme du motard avait tous mes livres, soit une trentaine. Je les ai dédicacés au cours d'un merveilleux dîner organisé par Pierre Lhoste.

— Et la contravention ? C'était un peu un autographe du motard...

— Je l'ai réglée ! Mais finalement c'est moi qui ai été payé : j'avais rencontré une lectrice inconditionnelle. Je défie un confrère de prétendre que ce n'est pas là une réelle satisfaction...

— Et le Chili ? Où en sommes-nous ?

— Nous nous en rapprochons... à soixante kilomètres à l'heure. En train, bien entendu. Mais quel train ! Il est peut-être moins célèbre que le Transsibérien, mais il est de la même race et, bien qu'effectuant un trajet beaucoup plus court, il appartient à la même famille. C'est le Transandin, qui relie Buenos Aires à Santiago du Chili... Quinze cents kilomètres à travers la pampa des gauchos et les Andes tragiques de Mermoz et de Guillaumet. Vingt-six heures de fumée et de gorge sèche (parce que la voie, à cette époque, ne possédait pas de ballast) pour atteindre Mendoza, au pied des Andes, cette barrière de sept mille mètres, second toit du monde après l'Himalaya.

A Mendoza, je change de train : la voie de montagne est à crémaillère, et plus étroite. Dans mon compartiment, un homme élégant et qui n'arrête pas de me parler de l'Argentine depuis des heures — les bœufs, les gauchos, le tango — sort une caisse petite, rectangulaire, et la garde sur ses genoux comme un trésor fragile. Nous montons, lentement, une locomotive à l'avant, une autre à l'arrière. De temps en temps, d'effroyables grincements immobilisent le convoi. Des chèvres ou des lamas broutent l'herbe jaunie entre les traverses. Cela se passe en famille. Tout le monde descend, bat des mains, crie, chasse les troupeaux. Et l'on repart.

En tendant son index vers la cordillère, mon voisin me dit simplement ces mots :

« *El rey !* » (« Le roi »).

C'est bien d'un roi qu'il s'agit. Le roi des Andes, l'Aconcagua, deuxième sommet du monde après l'Everest et qui frise les sept mille mètres. Le panorama est fantastique. A perte de vue, des pointes glacées ; toutes font cinq mille mètres et plus.

Je n'ai pas remarqué que mon voisin avait ouvert sa caisse pour en sortir... une bouteille de champagne ! De champagne français, dans une feuille de *La Prensa*, le grand journal de Buenos Aires. Il s'amuse de mon étonnement. En espagnol, il m'explique :

« Dans cinq minutes, nous entrerons dans un tunnel. Sa traversée dure une demi-heure. Exactement au milieu, vous entendrez une sonnette. C'est la frontière. Nous serons au Chili. Chaque fois que j'y passe, je bois du champagne pour célébrer la réconciliation de mon pays, l'Argentine, avec le Chili. Il n'est pas très frais, mais cela ne fait rien. Tenez, voici *Le Christ des Andes*. Cette statue colossale a été érigée pour célébrer, elle aussi, cette réconciliation. »

Il avait à peine fini de parler que nous fûmes dans le noir. Nous avions des masses hautes de cinq mille mètres sur la tête, et pas de veilleuse dans le compartiment. Mais l'Argentin m'avait tendu son briquet. La flamme permettait de voir ses manches toutes blanches. Il s'affairait avec la bouteille. Il sortit deux gobelets et m'en tendit un lorsque, dans le vacarme amplifié de ces wagons en bois roulant sous la cordillère, une sonnette — actionnée par le passage du train — domina ces bruits sourds.

« Permettez-moi de vous souhaiter la bienvenue au Chili, le pays de votre mère. *Salud, amor, y pesetas !* » (« Santé, amour, et argent ! »).

Et il ajouta : « *Y tiempo para gustarlas.* » (« Et le temps d'en profiter ! »)

J'étais très ému. Le champagne — il n'était ni excellent ni frappé — me resta en travers de la gorge. Je n'attendis plus qu'une chose : la sortie du tunnel.

Quand elle arriva, je n'avais pas l'impression d'être dans un pays de soleil, mais plutôt dans les brumes anglaises, du côté de Manchester. Nous étions noirs ! Les manches toutes blanches avaient la couleur d'une vieille couverture passée et peluchée. Mais c'était féerique. Il y avait l'extraordinaire lumière des Andes. Il y avait, sur notre droite, le « lac des Incas », ancien cratère à la profondeur restée inconnue et dont les eaux vertes immobiles reflètent les glaciers de l'Aconcagua.

La première gare chilienne apparut comme une bénédiction : il y avait trente-deux heures que nous roulions.

Mon aimable compagnon de voyage me suggéra de venir me dégourdir sur le quai, ce qui nous réchaufferait un peu.

« Nous avons le temps : la machine est aussi desséchée que nous. Mais elle, c'est de l'eau qu'on lui donne. »

Il me tapa sur l'épaule en riant. Puis, soudain grave, me regarda :

« *Hombre !* vous voulez écrire des histoires ? Je vais vous en raconter une authentique. Cela s'est passé ici même... Aimeriez-vous l'entendre ? »

Il mourait d'envie de la raconter. Et moi je m'estimai comblé : quoi de mieux, lorsqu'on découvre un pays, que d'entendre un récit à l'endroit même où des hommes l'ont vécu ? Pas question de manquer cette chance !

« Cette gare où nous sommes est à quatre kilomètres d'une petite ville isolée : Altamasco. Quelques maisons, une seule auberge. J'y étais descendu avec des amis, il y a une dizaine d'années. Nous étions venus chasser la palombe, grande et unique distraction de l'endroit. Ce fut une nuit épouvantable passée en compagnie des punaises, des rats et des lamas. Nous étions serrés les uns contre les autres, presque asphyxiés par le poêle répandant plus de fumée que de chaleur. A l'aube, nous voilà sur la place de la ville pour respirer un air glacé mais pur. Personne dans les rues. J'interroge l'aubergiste :

« Mais où sont les habitants ?

« — Ah monsieur ! Altamasco est en deuil. Pedro, un fier garçon, a été assassiné il y a deux jours et ce matin on l'enterre. »

« En effet, quelques instants plus tard, un cercueil porté par six hommes et suivi d'une foule silencieuse passa devant nous. L'aubergiste me souffla :

« Ce cercueil... C'est une caisse maudite !

« Maudite ?

« Il me fit signe de me taire avant de désigner une femme dont les traits étaient voilés sous sa mantille et de murmurer :

« Conchita !

« Sa veuve ?

« — Non...

« Devant les regards terribles de mes voisins, je m'éclipsai. Le soir, après la chasse, devant un bol de maté, l'aubergiste parla :

« Pedro avait trente ans. Il était le chef de gare et l'unique employé de cette station depuis cinq ans. Cinq ans dans la solitude des Andes, cinq ans à vivre un peu deux fois par semaine : le mardi et le vendredi, à l'aller et au retour du Transandin. Pedro avait donc eu le temps de tomber amoureux de Conchita, la plus belle fille d'Altamasco. Mais un aventurier espagnol nommé Fernando Claro arriva. Ses poches étaient bourrées de pesos. Conchita, ambitieuse, se hâta de se faire épouser par lui. Et quand les cloches de la mission nous appelèrent tous au mariage, Pedro fut le seul à ne pas venir.

« Les mois passent.

« Un mardi, le chef de train cria à Pedro :

« Tu as trois colis pour Altamasco ! Et quels colis !

« Trois colis ? Pedro n'en revenait pas. En cinq ans, il n'y avait jamais eu une arrivée aussi importante. Le premier était une caisse plombée portant l'adresse de la modeste succursale du Banco de Chile à Altamasco.

« Tiens, signe-moi le reçu, Pedro. C'est de l'argent. Pas de blague : mets-le en lieu sûr avant de le porter à la banque. »

« Le second était une moto anglaise, venant de Londres, toute neuve, destinée à... Fernando Claro ! L'Espagnol allait encore éblouir Altamasco avec sa machine...

« La seule vue du troisième colis stupéfia Pedro comme elle avait étonné le chef de train. Destinataire : señor Alviras, menuisier-fossoyeur de la ville. C'était un cercueil.

« Alviras n'aurait-il plus de bois pour faire un cercueil ? questionna le chef de train.

« — Je ne sais pas...

« — En tout cas, il est lourd et pourtant vide : je l'ai essayé, cette nuit, dans le fourgon à bagages. On y est très bien : c'est un grand modèle... Bon... Pedro, à vendredi... *Hasta luego !* (Au revoir !)

« Le silence des Andes était retombé sur la gare.

« Pedro commença par enfermer la caissette de la banque dans l'unique meuble où il conservait ses biens les plus précieux : quelques billets, deux bracelets que sa mère lui avait laissés en mourant et une vieille photo craquelée de Conchita.

« En admirant la moto, il constate qu'un filet d'essence coule du réservoir. « Mais c'est interdit par les règlements ! pense Pedro. Comment ont-ils pu, à Santiago, enregistrer la moto avec le réservoir plein ? » Mystère... Il faut, de toute façon, prévenir le destinataire. Et le destinataire, c'est Fernando, son rival... Mais, finalement, Pedro bénit l'arrivée de cette moto : chez l'Espagnol, il aura peut-être la chance d'apercevoir Conchita. Il profitera du déplacement pour avertir la banque et le señor Alviras. Mais ce dernier ne pourra certainement pas venir chercher son cercueil avant dimanche.

« Sur la route d'Altamasco, Pedro s'arrête soudain. Il fouille ses poches. Il a oublié le reçu de la banque ! Il l'a laissé dans son coffre... Il fait demi-tour. La salle d'attente est sombre. Le cercueil est là. Au moment où il passe devant lui, Pedro entend un léger bruit qui semble provenir de la caisse. En même temps, sa jambe droite heurte un objet invisible. Il fait un bond pour se dégager, et n'a que le temps de voir une main disparaître dans le cercueil... *Madre de Dios !* Le couvercle reprend sa place. Les tempes battantes, Pedro court chercher sa boîte à outils et s'assoit, à demi fou, sur le cercueil dont il commence à clouer le couvercle à grands coups de marteau. Sous lui, il sent que l'on fait des efforts pour soulever la planche, mais bientôt il n'y a plus aucune

résistance. Celui qui est caché là est pris au piège...
Pedro, en sueur, court vers la ville. Une heure plus
tard, une petite troupe d'hommes s'approche de la
gare avec, en tête, Pedro et le chef des carabiniers.
Tous les hommes sont armés, sauf un qui porte une
mallette : c'est le médecin. Ils entourent le cercueil.
Après deux minutes de silence total, le carabinier or-
donne :

« Décloue, Pedro !

« Les clous sautent un à un. Quelqu'un tient une
lanterne : un homme immobile est allongé dans le
cercueil. Son visage convulsé est horrible. C'est Fernando ! Stupeur parmi tous les hommes. Le médecin
se penche sur la poitrine de Fernando. Il est bien
mort. Mais tous remarquent que sa main droite serre
un poignard...

« Quand ils redescendent vers la ville, le chef des
carabiniers porte la caisse de la banque, deux de ses
hommes portent le cercueil beaucoup plus léger main-
tenant, deux autres ont installé le corps sur une
civière improvisée. Pedro, lui, est hagard : il semble
avoir été anéanti par la vision d'horreur.

« Le lendemain, Altamasco est en émoi. Pedro
répète aux carabiniers : « Je n'ai pas tué Fernando !
J'ai seulement enfermé un homme. J'ai eu peur. Je
ne savais pas qui c'était. Je le jure ! »

« Le poignard du mort plaide pour Pedro : légitime
défense.

« Le juge d'instruction, spécialememt venu de Santiago par le train du vendredi suivant, rendit un non-
lieu. L'affaire ne fut connue dans ses détails qu'un an
plus tard. Fernando s'était toujours procuré de l'argent par des moyens douteux. Conchita, très dépen-
sière, accrut ses besoins. Il demanda un prêt au directeur de la succursale du Banco de Chile. Ce dernier,
imprudent, confia à Fernando que justement il attendait une importante arrivée de fonds venant de
Santiago par le prochain Transandin. Fernando savait
que dans ce même train se trouvait sa moto commandée six mois auparavant. Dès lors, son plan est simple.

Il déclare à Conchita qu'il part chasser la palombe. Il va jusqu'à Guenosca, la dernière station avant Altamasco, et où le Transandin s'arrête deux minutes. Il profite de la conversation du chef de train avec le chef de gare pour se faufiler dans le fourgon à bagages. Il voit sa moto, mais ne repère pas tout de suite la caissette, sans doute enfermée quelque part. Tiens, un cercueil !... Vide ? Pour Altamasco ? N'est-ce pas pour lui la cachette idéale ? Malheureusement, quelques minutes avant Altamasco et alors que Fernando s'y était installé, le chef de train passe une corde autour du cercueil pour maintenir le couvercle... C'est pourquoi Pedro a vu cette main qui essayait de couper la corde... Sans doute Fernando, s'il y était parvenu, se serait-il enfui avec la motocyclette et la cassette par le col de Los Andes pour gagner l'Argentine...

« Mais Pedro ? Comment est-il mort ?

« Ah !... ah !... vous aimez mon histoire ? me dit l'Argentin.

— Elle n'est pas complète : il manque la chute, la mort de Pedro...

— Nous avons encore quelques minutes... Venez dans la salle. C'est important pour l'ambiance... »

Nous entrâmes dans l'unique salle basse de la gare. Je croyais y trouver l'atmosphère de mystère indispensable au crime. La pièce n'était que banale, nue, et ripolinée. Il reprit :

« Oui, je sais... C'est un peu décevant. La compagnie a tout refait il y a deux ans... Après cette aventure Pedro acquit une popularité incroyable. Et Conchita commença à le revoir. Etrange femme, cette Conchita ! Elle avait demandé au magistrat l'autorisation de conserver le poignard trouvé dans la main de son mari et le cercueil que le menuisier lui vendit avec joie : aucune famille n'en aurait voulu pour l'un de ses morts. Le magistrat acquiesça à condition qu'elle conservât intacts le poignard et le cercueil pour les mettre si besoin était à la disposition de la justice.

« Elle vécut ainsi une année. Toute la ville lui disait : « Conchita ! tu es folle ! Débarrasse-toi de ces souvenirs macabres ! » En guise de réponse, ses yeux jetaient des éclairs. Un après-midi d'automne, elle vint à la gare, accompagnée de sa fidèle amie Luz. La salle — cette salle où nous sommes — était sombre. Pedro serait-il sorti ? Non, Pedro était étendu près du mur, les bras en croix, sa tête face au mur, le poignard planté jusqu'à la garde dans son cœur... Le poignard de Fernando ! Vous imaginez la stupeur des gens ici ! Pedro assassiné ! Comme il était sans ressources, Conchita offrit à son ancien amoureux le cercueil pour que Pedro ne fût pas enterré dans la fosse commune... La gare devint maudite. Les vieilles femmes, dans un incroyable mélange de mysticisme chrétien et de légendes indiennes, se mirent à prier à haute voix. Les yeux sombres parlaient de peur, du diable ou des mauvais esprits. Les gens étaient à ce point impressionnés que l'un de mes compagnons de chasse voulut trouver, pendant le trajet de retour, une explication du crime. Et il n'hésita pas à nous dire avec le plus grand sérieux du monde : « Fernando, le légitime propriétaire du poignard, est ressorti de sa tombe pour reprendre son arme et se venger en la plantant dans le cœur de son rival. » Explication que n'eût pas désavouée Mérimée.

— Etait-ce la vérité ?

— La vérité était, à mon sens, encore plus chilienne. Conchita n'avait épousé Fernando que pour quitter le désert glacé des Andes. Elle ne l'aimait pas, mais il était son mari. Et Pedro lui avait tué cette chance... Pedro devait donc mourir à son tour. Alors, diabolique comme le sont toutes les femmes, et particulièrement les Chiliennes, elle renoua avec Pedro. Redevenue sa maîtresse, elle réussit à endormir sa méfiance. Et comme elle clamait très haut son bonheur d'avoir retrouvé le seul véritable amour de sa vie, tout Altamasco pensa qu'elle n'aurait jamais dû quitter un garçon comme Pedro... Mais un soir, sans doute au moment où ils allaient s'étreindre, elle l'a poignardé. Ce ne fut là pour elle que le commencement de la vengeance. L'apothéose vint lorsqu'elle suivit le cercueil pour la seconde fois... Mais personne ce jour-là n'a vu son visage qui resta entièrement dissimulé sous la mantille... Un matin, elle est montée dans le Transandin en direction de l'Argentine. On ne l'a plus jamais revue...

— Et l'enquête ?

— Elle n'a rien donné. Aucune preuve. Affaire classée. Son seul résultat fut que pendant des années la compagnie ne put trouver un chef de gare... Il n'y a que depuis deux ans que la gare est à nouveau en service. Le chef de gare est venu avec toute sa famille, dont ses deux fils et un cousin. Et encore a-t-il fallu que les *Ferrocariles Chilenos* [1] lui aménagent cette maison que vous voyez de l'autre côté de la voie, et que cette salle fût débarrassée de toute impression lugubre...

L'Argentin m'observait. Il pouvait être content de son effet. J'étais fasciné.

Un coup de sifflet m'arracha au rêve...

« Venez, *amigo*, vous ne voudriez tout de même pas manquer le train et rester vous aussi dans la gare maudite ? »

Franchement, je crois que j'aurais aimé y passer au moins une nuit...

— Si je comprends bien, cette histoire a eu une influence sur tes projets ?

— Une énorme influence ! Elle confirmait mes goûts qui se résumaient à un verbe : écrire. Je savais déjà que j'écrirais des histoires semblables à celle, véridique, d'Altamasco, c'est-à-dire des aventures où l'amour tiendrait la première place. Une histoire où l'amour est constamment en filigrane, c'est un roman... J'ai d'ailleurs transposé cette histoire dans une nouvelle, *La Gare du crime*, et Conchita est devenue l'une des héroïnes de mon roman *Les sept femmes*.

(1) Chemins de fer chiliens.

— Tu arrivais dans un Chili très romanesque. Est-ce que la réalité n'était pas moins attirante ?

— Au contraire ! Cette histoire me sembla presque banale après quelques mois passés dans ce pays où tout est possible. Parce que rien n'est exagéré dans un pays de tremblements de terre et d'admirables femmes...

— Tu as vu vivre le Chili. Mais as-tu vécu comme un Chilien ?

— Je m'y suis efforcé. Autrement où serait l'intérêt du voyage ? Ça ne m'a d'ailleurs pas demandé un gros effort, ayant, grâce à ma mère, cinquante pour cent de sang chilien. Le naturel est revenu au galop... J'ai épousé le rythme chilien, mangé la cuisine chilienne, lu la presse chilienne, partagé la vie de mes innombrables cousins chiliens. Cela me convenait très bien, car à Santiago on avait compris depuis longtemps qu'il valait mieux travailler vite et bien que longtemps et mal. Santiago, c'était, au moment où j'y arrivai, un mélange de gratte-ciel new-yorkais et de *casas* sans étages. Les avenues y ont encore des dimensions californiennes. J'habitais au nº 1656 de l'Alameda (qui veut dire avenue) Delicias (l'avenue des Délices), une artère longue de six kilomètres.

Les habitants étaient comme les habitations : extrêmes. Très riches ou très pauvres. D'un côté, des grands propriétaires terriens, des banquiers, des industriels. La famille Edwards — celle de ma mère — appartenait à cette catégorie. De l'autre côté, le *roto chileno*, le bas peuple dont l'ignorance et la misère dépassaient alors tout ce qu'on pouvait imaginer en Europe. A cette époque, la petite-bourgeoisie, sans laquelle les vraies révolutions ne peuvent éclater, n'était pas encore très développée. Quand on la rencontrait, elle était d'origine allemande ou française. J'ai dîné plusieurs fois chez un certain señor Schœders. Malgré son nom, il était amiral de la flotte chilienne. Le Bolivar chilien, vers 1820, s'appelait O'Higgins. Et l'on ne peut pas dire que le général